Édité par :

France : ÉDITIONS ATLAS s.a.,
89, rue La Boétie, 75008 Paris

Belgique : ÉDITIONS ATLEN s.a.,
avenue Georges-Rodenbach 4, 1030 Bruxelles

Conseiller artistique : Jean-Louis Couturier
Photos de couverture : Frédéric de Lafosse/Sygma

Imprimé en CEE

Dépôt légal : juillet 1993
ISBN 2-7312-1474-0

Le Chat botté

d'après Charles Perrault
Illustrations originales de
Boiry

Il était une fois un très vieux meunier qui, à l'heure de mourir,
avait réuni ses trois fils. Il leur avoua que, malgré toute une vie
de labeur, il ne pourrait leur laisser qu'un bien maigre héritage :
un moulin, un âne et un chat.

C'est le fils aîné qui reçut le moulin, le second l'âne,
et le plus jeune n'eut que le chat.

Bien que cet animal fut très beau avec ses longues moustaches et ses yeux pétillants de malice, le pauvre jeune homme se demandait ce qu'il pourrait bien en faire, à part une fourrure.

Mais le drôle de chat, qui avait deviné ses pensées, lui dit :

— Allons, mon cher maître, ne soyez pas triste. Donnez-moi seulement un grand sac, une belle paire de bottes et un chapeau de gentilhomme, et vous verrez ce qui arrivera…

Le fils du meunier l'avait si souvent vu réussir des tours incroyables pour attraper les souris que cela l'amusa de lui trouver ce qu'il réclamait, simplement pour savoir ce qu'il en ferait.

Dès que le chat fut botté et coiffé, il partit dans un bois
où il avait repéré des lapins. Il plaça de la salade dans son sac et
s'allongea à côté en faisant le mort. Il n'attendit pas longtemps.
Un jeune lapin gourmand vint bientôt s'aventurer au fond et, hop !
le chat n'eut qu'à refermer le sac. Alors, tout content
de son astuce, il courut au château du roi.

Lorsqu'il arriva devant le trône, il fit une belle révérence
d'un grand coup de chapeau et dit :

— Majesté, acceptez ce lapin en cadeau de la part
de mon maître, le marquis de Carabas.

Il venait d'inventer ce nom.

Le roi reçut le présent de bonne grâce et chargea le chat,
en retour, de remercier ce marquis.

Quelques jours plus tard, le chat alla cette fois dans un champ de blé, mit des graines dans son sac bien ouvert qu'il posa par terre et guetta en silence. Deux perdrix vinrent les picorer et le chat se fit un plaisir de tirer sur les cordons du sac pour les attraper.

A nouveau il alla les offrir au roi de la part de son maître, le marquis de Carabas. Le roi, charmé de cette attention, lui demanda de remercier à nouveau son maître et récompensa le chat en lui faisant servir un délicieux repas.

Les jours qui suivirent, le chat, toujours aussi élégamment
botté, recommença le même manège. Le roi était à chaque fois
un peu plus ravi de revoir cet animal aux si bonnes manières.
Il pensait que ce mystérieux marquis de Carabas devait être
un homme de bien, aussi riche que généreux…

Le chat devint ainsi de plus en plus familier au château, et
il connut bientôt tout le monde, et tout le monde le connaissait.

C'est ainsi qu'un jour, il apprit l'intention du roi d'aller se promener au bord de la rivière avec sa fille, qui était fort belle. Le chat se lissa longuement les moustaches en réfléchissant, puis il fila comme une flèche chez le fils du meunier :

— Mon cher maître, si vous suivez mon conseil, vous deviendrez riche, puissant et peut-être même serez-vous le plus heureux des hommes, mais vous devez pour cela agir comme je vous le dirai et sans poser de questions ; acceptez-vous ?

A le voir si sûr de lui, le jeune homme ne doutait plus
que ce chat fut capable d'encore plus de débrouillardise
et de ruse qu'il ne l'imaginait. Curieux et impatient de voir
ce que serait le plan de son chat botté, il obéit sans discuter.

— Mon cher maître, il vous suffira de vous baigner dans
la rivière à l'endroit que je vais vous montrer. Rien de plus.
Ne dites rien, ne faites rien, vraiment rien, laissez-moi agir !

Le jeune homme, amusé par ses mystères, fit exactement ce
que le chat avait ordonné. Il plongea, nagea un peu et attendit
sagement en faisant des ronds dans l'eau.

Bien sûr, le chat savait que le roi passerait par là durant
sa promenade. Lorsqu'enfin le carrosse arriva, le chat se mit
à courir sur la route au-devant de l'équipage royal en criant
à tue-tête et faisant de grands gestes :

— Au secours, au secours ! Mon maître, le marquis de Carabas,
est en train de se noyer !

A ces mots, le roi pencha sa tête par la portière et reconnut
aussitôt ce fameux chat qui lui avait fait tant de cadeaux.

Le roi ordonna à ses gardes de se porter immédiatement
au secours du marquis. Pendant qu'on s'affairait à sortir
le jeune homme de l'eau, le chat botté s'approcha du carrosse,
les yeux brillants et la queue frétillante.

— Altesse, il y a un petit problème : du temps que mon maître
se baignait, quelqu'un est venu dérober tous ses vêtements,
qui étaient posés sur la rive. Mon maître se retrouve donc
sans rien pour s'habiller, c'est bien fâcheux.

C'était bien sûr le chat lui-même qui les avait jetés dans un buisson, mais le roi ne douta pas une seconde de ses paroles et envoya sans tarder les officiers de sa garde-robe chercher un de ses plus beaux habits pour en vêtir le marquis.

Le fils du pauvre meunier se retrouva donc vêtu le plus
richement du monde, pantalons de belle étoffe, chaussures
élégantes, chemise à dentelles et cape de velours. Il avait
l'élégance d'un prince. Le roi, fort impressionné par son allure,
l'invita à poursuivre la promenade à ses côtés. La princesse levait
de temps en temps vers lui des regards à la fois timides et doux.
Elle était si jolie que le jeune homme en tomba amoureux
dès qu'il la vit.

Le chat botté, réjoui de la tournure des événements, plissa
ses beaux yeux verts :

— On dirait que mon plan se déroule exactement comme
je l'avais prévu, mais ne ronronnons pas, il y a encore à faire…

Et hop ! il sauta prestement du carrosse et fila devant à toute
vitesse. Il aperçut des paysans qui fauchaient dans un champ
au bord du chemin. Il s'arrêta et, fermement campé sur ses bottes,
leur cria :

— Bonnes gens, le roi vient par ici, si vous ne lui dites pas
que ces prés appartiennent au marquis de Carabas, vous serez
tous hachés menu comme chair à pâté !

Ses yeux lançaient des éclairs tandis qu'il parlait.

Le cortège royal arriva, et le roi demanda à qui étaient ces beaux prés.

Et les paysans, que le chat avait effrayés, répondirent :

— A monsieur le marquis de Carabas.

Le roi se tourna vers le jeune homme, admiratif, et le félicita d'avoir de si grandes et si belles terres. La princesse osa alors un très tendre sourire.

Le chat continua de les devancer et bientôt, à des moissonneurs au travail, il cria à nouveau en montrant ses crocs :

— Bonnes gens, voici venir le roi, si vous ne lui dites pas que tous ces champs appartiennent au marquis de Carabas, vous serez hachés menu comme chair à pâté !

Et quelques instants plus tard, quand le roi les interrogea,
ils répondirent à leur tour d'une seule voix :

— A monsieur le marquis de Carabas.

Et le chat prit un malin plaisir à refaire ce tour plusieurs fois
de suite, si bien que le roi n'en revenait pas de la richesse
de ce jeune marquis dont il appréciait déjà la compagnie.
La princesse, elle, se sentait rougir chaque fois que le regard
du jeune homme croisait le sien.

L'astucieux animal, en courant toujours devant, finit par arriver à la porte d'un château magnifique qu'il savait appartenir à un ogre très riche : il demanda à être reçu pour avoir l'honneur de saluer respectueusement le maître des lieux.

Devant cet ogre énorme aux dents pointues et aux larges mains poilues, le chat fit maintes révérences jusqu'à terre avant de lui dire :

— Puissant seigneur, on raconte dans tout le pays que vous avez le pouvoir de vous transformer en toutes sortes d'animaux, cela peut-il être vrai ?

L'ogre répondit :

— Que dis-tu de ce lion ?

Et voilà qu'il se transforma en un lion rugissant et terrible. Le chat, les poils hérissés, détala aussitôt pour se réfugier sur un lustre. Pour en redescendre, il attendit bien que l'ogre ait repris sa forme humaine :

— Absolument prodigieux ! Noble seigneur, on dit encore par ailleurs, mais non ! cela, je ne peux vraiment pas le croire, que vous saviez aussi vous changer en souris. C'est impossible, n'est-ce pas ?

— Eh bien, regarde ! s'exclama l'ogre d'une voix caverneuse, et il se changea alors en une toute petite souris grise. En un éclair, toutes griffes dehors, le chat botté se jeta dessus, et l'avala toute crue. Il lui trouva un petit goût… amer.

Peu de temps après, le carrosse du roi arriva au château. Le chat se précipita pour l'accueillir et ouvrir lui-même la portière :

— Que votre majesté soit la bienvenue dans la demeure du marquis de Carabas !

Le roi, lorsqu'il entra avec sa fille et toute sa suite, s'extasia : dans une des salles somptueusement meublées, un imposant banquet les attendait. L'ogre l'avait fait préparer pour ses amis qui, plus tard, n'osèrent plus s'approcher du château sachant que le roi s'y trouvait.

Le festin était délicieux, les vins exquis. Quant à la princesse, elle ne pouvait plus quitter des yeux le jeune marquis, et il en paraissait infiniment ému.

Le roi devinait bien quels étaient leurs sentiments, et cela l'attendrit tellement qu'avant la fin du repas, il se leva, mit la main de sa fille dans celle du jeune homme et leur fit part de son souhait de les voir unis pour la vie.

Le fils du pauvre meunier et la princesse voulurent se marier le jour même. Ils vécurent, paraît-il, très heureux, et très longtemps.

Le chat, lui, devint grand seigneur, et ne courut plus après les souris, que pour se divertir.